¿CUÁNTO SABES de FÚTBOL?

¿eh?

VOX

Dirección editorial:
Jordi Induráin

Edición:
Carlos Dotres

Ilustración:
Eva Zamora

Redacción:
Raúl Lozano

Corrección:
Maribel Arrabal

Diseño de cubierta, maquetación y preimpresión:
Víctor Gomollón

ISBN: 978-87-9974-057-7

Depósito legal: B.4252-2012

1E1I

PRESENTACIÓN

Algunos creen que el fútbol es una cuestión de vida o muerte.
Es mucho más importante que todo eso.

BILL SHANKLY

Aunque las palabras del legendario entrenador del Liverpool de
los años sesenta se referían a la histórica rivalidad existente entre
los hinchas reds y los del Everton, ejemplifican a la perfección
(de manera algo exagerada, eso sí) lo que el fútbol significa
para millones de personas de todo el mundo.

Y aún mejor que con palabras, esta atracción puede argumentarse
con cifras: 620 000 000 de personas, los televidentes que vieron
desde sus hogares la final del Mundial de fútbol de Sudáfrica 2010
ganada por España, no pueden estar equivocadas. Está claro,
el fútbol interesa cada vez más y en más rincones del planeta.

Esta obra no pretende ser un repaso exhaustivo a la historia del
fútbol. Pretende, como hace el fútbol mismo, hacer pasar un buen
rato. Y para ello, presenta una serie de preguntas, unas de ámbito
internacional, otras del fútbol de nuestro país; cuestiones sobre
resultados, efemérides, récords, todo tipo de competiciones,
equipos y jugadores míticos, sin olvidar la relación del balompié
con la música o la literatura; preguntas con formatos diversos
(adivinanza, verdadero o falso, quién soy, partidazo...) y con
diferentes niveles de dificultad.

Algunas cuestiones retarán a los más expertos en la materia
y quizás requieran de alguna consulta en las hemerotecas.
O directamente en el apartado final de soluciones del libro,
donde creemos ofrecer el contexto suficiente para satisfacer
a los lectores más exigentes.

En familia, con amigos o de manera individual, esperemos que
disfruten de esta obra al menos tanto como nosotros la hemos
disfrutado haciéndola.

LOS EDITORES

1 / El Inter de Milán fue fundado antes que el AC Milan.

6

2 / Fui un escritor apasionado por el fútbol y seguidor del Barcelona. Algunos de los artículos que dediqué a este deporte se reunieron en el libro llamado *Fútbol. Una religión en busca de un Dios.*

3 / Los árbitros españoles han sido los pioneros en llevar publicidad en su indumentaria. ¿En qué temporada incluyeron el patrocinio en sus camisetas?

a: 1994-95
b: 1995-96
c: 2000-01
d: 2004-05

7

4 / ¿Cuál de los siguientes porteros ha conseguido ganar el trofeo Zamora, que reconoce al menos goleado de la liga española, en tres temporadas consecutivas?

a: Ramallets   b: Ablanedo   c: Arconada   d: Cañizares

5 / ¿En cuál de estos países no se ha celebrado nunca una fase final de un Mundial?

a: Chile   c: Uruguay
b: Perú   d: Argentina

6 / El Real Madrid ostenta actualmente el récord por el traspaso más caro del fútbol mundial. ¿Qué jugador protagonizó este fichaje?

a: Zinedine Zidane

b: Kaká

c: Cristiano Ronaldo

d: David Beckham

Verdadero o falso

7 / La selección de la India se retiró del Mundial de 1950 porque no permitieron que sus jugadores jugaran descalzos.

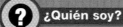 **¿Quién soy?**

8 / Fui el primer extranjero en jugar en la Real Sociedad.

9 / El mítico estadio brasileño de Maracaná albergó la final del Campeonato del Mundo de 1950 entre Brasil y Uruguay. El partido marcó un récord de asistencia que no ha sido superado hasta la fecha. ¿Cuántos espectadores asistieron al encuentro?

a: 103 000

b: 142 500

c: 173 850

d: 194 600

10 / ¿Qué equipo consiguió imponerse en la liga española de la temporada 1999-00, rompiendo la hegemonía del Real Madrid y Barcelona?

a: Atlético de Madrid

b: Valencia

c: Deportivo de La Coruña

d: Real Zaragoza

11 / ¿De qué equipo del fútbol inglés fue presidente y propietario el cantante Elton John?

a: Sunderland

b: Crystal Palace

c: Watford

d: Bolton Wanderers

12 / Desde que se estableció el ranking FIFA en 1993, dos selecciones sudamericanas y cinco europeas han sido líderes de esta clasificación. Los elegidos han sido: Brasil, Argentina, Alemania, Italia, Francia, España y...

13 / El argentino Mario Alberto Kempes, conocido como «el matador», ha sido el único jugador de la historia del Valencia que ha conseguido el trofeo Pichichi en dos ocasiones consecutivas.

Adivinanza

14 / ¿Cuál fue el primer partido con iluminación artificial?

Partidazo

15 / ¿En qué edición de la Copa del Mundo se decidió un partido por primera vez mediante la tanda de penaltis?

a: 1978, final Argentina–Países Bajos

b: 1982, semifinal Francia–Alemania

c: 1986, cuartos de final Brasil–Francia

d: 1986, cuartos de final España–Bélgica

16 / ¿En qué año fue España campeona olímpica?

a: Moscú 1980   b: Seúl 1988   c: Barcelona 1992   d: Atlanta 1996

17 / ¿Qué fue el G-14?

a: el grupo de jugadores en activo con mayor número de goles anotados

b: el grupo de clubes más poderosos de Europa

c: el patrocinador de un equipo italiano

d: una estatua dedicada a Cruyff en el estadio del Ajax

18 / ¿Qué artista español diseñó el cartel oficial del Mundial de 1982?

a: Eduardo Chillida

b: Antoni Tàpies

c: Joan Miró

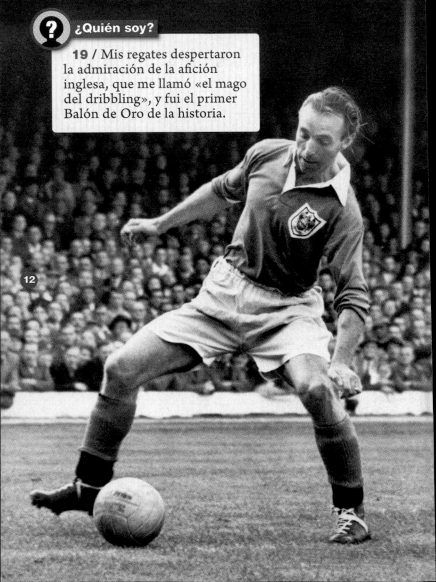

19 / Mis regates despertaron la admiración de la afición inglesa, que me llamó «el mago del dribbling», y fui el primer Balón de Oro de la historia.

12

20 / El delantero uruguayo Diego Forlán ha participado en los Mundiales de 2002 y 2010, pero antes que él dos familiares suyos también estuvieron presentes en la fase final de una Copa del Mundo.

21 / ¿Qué nombre recibe el fútbol o balompié en Estados Unidos?

a: fútbol eleven | **b:** fútbol americano | **c:** soccer | **d:** footgoal

22 / ¿Qué selección americana es conocida popularmente como la «vinotinto» por el color de su camiseta?

a: Bolivia | **b:** Canadá | **c:** Venezuela | **d:** Chile

13

23 / Todos estos ex jugadores del Fútbol Club Barcelona recibieron en su día el Balón de Oro. ¿Cuál de ellos no lo hizo vistiendo la elástica azulgrana?

a: Johan Cruyff

b: Alan Simonsen

c: Hristo Stoichkov

d: Rivaldo

24 / El premio Nobel de Literatura de 1957, Albert Camus, fue un apasionado del fútbol y de joven formó parte de la plantilla del Racing Universitario de Argel, pero vio truncada su progresión por...

a: un accidente automovilístico

b: una enfermedad

c: la oposición de su familia

d: un cambio de residencia

25 / ¿Con qué apodo se conoce a la estrella del Fútbol Club Barcelona y de la selección argentina Lionel Messi?

14

Verdadero o falso

26 / Durante la Segunda República, en España los clubes de fútbol retiraron de su nomenclatura la palabra Real.

27 / En el año 2006 la FIFA impuso la obligatoriedad de llevar espinilleras en un terreno de juego. ¿Qué carismático jugador del Betis de los años ochenta se caracterizaba por no utilizar nunca esa pieza?

a: Hipólito Rincón

b: Rafael Gordillo

c: Julio Cardeñosa

d: José Ramón Esnaola

28 / *El fútbol es un juego que enfrenta a once contra once y en el que siempre gana Alemania.*

29 / El primer presidente de Senegal y padre de la independencia del país africano, Léopold Sédar Senghor, da nombre al mayor estadio de la capital, Dakar. Senghor falleció en 2001. ¿Qué acontecimiento futbolístico ocurrió en el país ese mismo año?

Adivinanza

30 / ¿Qué competición internacional que se disputó hasta la temporada 1970-71 ganaron los equipos españoles Barcelona, Valencia y Zaragoza?

Verdadero o falso

31 / Michel Platini es el máximo goleador de la historia de la selección francesa.

32 / ¿Qué selección se constituyó en 1947 tras la Segunda Guerra Mundial como escisión de la República Federal de Alemania?

a: Sudetes

b: Sarre

c: República Democrática Alemana

d: Austria

? **¿Quién soy?**

33 / Procedo del «River» de la Plata y, tras lucirme en el Millonarios de Bogotá, fui el fichaje más polémico del fútbol español.

34 / ¿Cuál de estos jugadores que pertenecieron al Fútbol Club Barcelona no pasó por el centro de formación de La Masía?

a: Luis Milla

b: Robert Fernández

c: Guillermo Amor

d: Mikel Arteta

35 / ¿A qué distancia del centro de la línea de portería se encuentra situado el punto de penalti?

a: a 8,50 metros

b: a 9 metros

c: a 11 metros

36 / ¿Podrías relacionar acertadamente a estos clubes de fútbol con los apodos que reciben sus jugadores y seguidores?

Sevilla	boquerones
Atlético de Madrid	rojillos
Osasuna	nervionenses
Mallorca	colchoneros
Málaga	bermellones

18

Adivinanza

37 / ¿Qué institución española prohibió la práctica del *pok-ta-pok* o juego de pelota maya?

38 / En la temporada 1984-85 hubo en la Liga una jornada de huelga y los partidos los disputaron jugadores juveniles.

39 / Las mujeres fueron excluidas de la práctica del fútbol en Inglaterra durante 50 años porque la Football Association consideraba que no eran aptas para practicarlo. ¿En qué año se inició la prohibición?

a: 1914

b: 1918

c: 1921

d: 1931

40 / ¿A qué equipo pertenece el estadio con nombre de un santo del siglo III que, según la leyenda, fue arrojado a los leones en el anfiteatro de Cesarea y, respetado por los felinos, tuvo que ser ajusticiado por un gladiador?

19

41 / ¿Qué único país ha participado en todas las fases finales de la Copa del Mundo?

a: Italia

b: Alemania

c: Brasil

d: Holanda

42 / Káiser es el título que se aplicó a los tres emperadores del II Reich alemán, entre 1871 y 1918, pero también el sobrenombre dado a un futbolista de ese país por ser el encargado de conducir el juego. ¿De qué jugador se trata?

a: Bernd Schuster

b: Franz Beckenbauer

c: Karl-Heinz Rummenigge

d: Lothar Mathäus

Verdadero o falso

43 / La selección de Alemania ha ganado en cuatro ocasiones la Copa del Mundo.

a: Butragueño **b:** Hierro **c:** Morientes **d:** Raúl **e:** Villa

45 / ¿Qué equipo ha ganado más campeonatos de liga franceses hasta la disputa de la temporada 2010-11?

a: Olympique de Lyon

b: Saint-Etienne

c: Olympique de Marsella

d: Nantes

46 / ¿En cuál de estos casos la falta es sancionada con un tiro libre indirecto?

a: dar o intentar dar una patada a un contrario

b: tocar deliberadamente el balón con la mano

c: saltar sobre un contrario

d: obstaculizar el avance de un contrario

47 / *El fútbol es un deporte de lo más apropiado para niñas rudas, pero no apto para jóvenes delicados.*

? **¿Quién soy?**

48 / El trofeo que distingue al mejor árbitro de la liga española lleva mi nombre.

22

Partidazo

49 / Diego Armando Maradona marcó un gol con la mano en el Mundial de México 1986 que el árbitro dio como válido y que el astro argentino inmortalizó al afirmar que había intervenido «la mano de Dios». ¿Cuál era el rival de Argentina en ese partido?

a: Bélgica   c: Inglaterra
b: Alemania   d: Uruguay

50 / ¿Quién fue el autor del himno del centenario del Real Madrid?

51 / Las 80 ediciones de la Liga de Primera División que se han disputado hasta la temporada 2010-11 se las han repartido entre ocho equipos.

52 / ¿A qué equipo inglés se le conoce popularmente como «los reds»?

a: Liverpool **b:** Arsenal **c:** Manchester United **d:** Aston Villa

23

53 / Según la reglamentación de la FIFA, ¿cuánto debe pesar un balón en el inicio del partido?

a: entre 400 y 420 gramos

b: entre 410 y 420 gramos

c: entre 410 y 450 gramos

d: entre 430 y 450 gramos

54 / ¿En qué campeonato del Mundo la selección de Corea del Norte, formada por jugadores aficionados, llegó hasta los cuartos de final?

a: 1934   **b:** 1962   **c:** 1966   **d:** 1978

55 / ¿Qué suceso ocurrido en el partido entre Francia e Italia de la final del Mundial 2006 empañó la retirada de la estrella francesa Zinedine Zidane?

a: un enfrentamiento con seguidores

b: una lesión en la rodilla

c: la agresión a un contrario

d: las críticas a su entrenador

56 / El Fútbol Club Barcelona no disputó la edición de la Copa del Rey de la temporada 2000-01 por una sanción impuesta por la RFEF en la campaña anterior, que castigó que el Barça se negase a disputar el partido de vuelta de la semifinal frente al Atlético de Madrid alegando falta de efectivos.

? **¿Quién soy?**

57 / Marqué el primer gol televisado de la liga española.

58 / La primera Copa del Mundo se disputó en Uruguay, ¿en qué año?

| a: 1927 | c: 1930 |
| b: 1928 | d: 1934 |

25

59 / ¿Cuál de estos cuatro torneos veraniegos es el decano de los disputados en España?

a: Ramón de Carranza (Cádiz)

b: Teresa Herrera (La Coruña)

c: Colombino (Huelva)

d: Joan Gamper (Barcelona)

60 / ¿En qué obra del dramaturgo inglés William Shakespeare se pronuncia la siguiente frase: «Tú, vil futbolista».

a: Otelo   **b:** Macbeth   **c:** El rey Lear   **d:** Hamlet

26

Verdadero o falso

61 / El colombiano Carlos Valderrama, alias «el pibe», participó en tres ediciones de la Copa del Mundo.

62 / ¿Cuál ha sido el único seleccionador nacional capaz de ganar dos campeonatos del Mundo?

? **¿Quién soy?**

63 / En el siglo XVI me convertí en uno de los principales defensores del fútbol, por considerar que era beneficioso para la salud y la fortaleza física de sus practicantes.

64 / ¿Desde qué año disputan los clubes de Andorra y San Marino la fase previa de la Champions League?

a: 1999

b: 2004

c: 2007

27

65 / En 1953 se disputó un encuentro entre Inglaterra y Hungría en el que se impusieron por sorpresa los magiares. ¿Por qué ha pasado aquella victoria a los libros de historia del fútbol?

a: porque era el primer partido oficial que jugaba Hungría

b: porque se disputó de noche con luz artificial

c: porque supuso la primera victoria de una selección continental en terreno inglés

28

66 / ¿Qué significan las siglas FIFA?

a: Federación Internacional de Fútbol Amateur

b: Federación Inglesa de Fútbol Amateur

c: Federación Internacional de Fútbol Americano

d: Federación Internacional de Fútbol Asociación

29

67 / Alfredo Di Stéfano y Ladislao Kubala fueron dos grandes figuras del fútbol español e internacional en la década de 1950. ¿Cuál de los dos era más joven?

68 / ¿Qué países europeos crearon las primeras asociaciones de fútbol más allá de las de las islas Británicas?

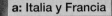

a: Italia y Francia

b: Dinamarca y Países Bajos

c: Bélgica y Países Bajos

d: Italia y Alemania

69 / ¿Qué jugador brasileño era conocido como «el doctor» porque se licenció en medicina y ejerció como médico deportivo tras su carrera futbolística?

a: Pelé

b: Zico

c: Sócrates

d: Dunga

Verdadero o falso

70 / Un gol es válido aunque sea el árbitro quien introduzca el balón en la portería.

71 / ¿Qué banda de rock es autora de la canción *We Are The Champions*, que se usa habitualmente para ambientar eventos deportivos?

a: Roxy Music

b: Queen

c: Pink Floyd

d: The Pretenders

72 / ¿Cuál fue el primer país africano en participar en la fase final de una Copa del Mundo?

a: Camerún

b: Marruecos

c: Egipto

d: Zaire

Verdadero o falso

73 / El Sevilla ha ganado al menos en una ocasión los campeonatos de Liga, Copa del Rey y Supercopa de España.

74 / El Aston Villa fue uno de los clubes dominadores de los primeros años de la liga inglesa. ¿Cuántos títulos consiguió en los campeonatos celebrados en el siglo XIX?

a: 5   b: 8   c: 9   d: 12

32

75 / Mi decisión de demandar a mi equipo, a la Federación Belga de Fútbol y a la UEFA cambió por completo la forma de entender los traspasos en el mercado futbolístico europeo.

76 / ¿Cuál de estos cuatro diseños no tomó parte en el proceso de selección final de la mascota oficial del Mundial de 1982?

a: Andrés el ciempiés

b: Toribalón

c: Naranjito

d: Brindis, el niño torero

34

77 / ¿En qué campeonato se realizó la primera transmisión televisiva en directo de un partido de fútbol?

a: Mundial de Suiza, 1954

b: Juegos Olímpicos de Helsinki, 1952

c: Eurocopa en Francia, 1960

d: Mundial de Suecia, 1958

78 / Figo, Zidane, Ronaldo y Beckham fueron las grandes estrellas fichadas por el Real Madrid entre los años 2000 y 2003, que merecieron el nombre de «galácticos». ¿Quién era el presidente del club en aquella época?

a: Ramón Calderón   **b:** Lorenzo Sanz   **c:** Florentino Pérez

79 / En 1863, doce escuelas y clubes ingleses se reunieron en Londres para unificar la reglamentación alrededor del fútbol. En aquel encuentro se aprobaron las reglas de Cambridge y se creó la Football Association, pero una de las escuelas no se sumó al acuerdo y decidió emprender su camino en solitario. ¿Cuál de estas?

a: Eton   **c:** Blackheath

b: Harrow   **d:** Westminster

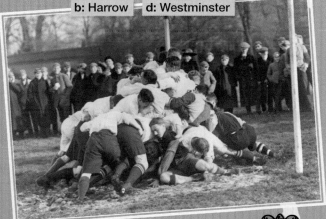

Verdadero o falso

80 / El Manchester United fue fundado por los empleados de una compañía de ferrocarril.

81 / Algunos equipos de fútbol de Estados Unidos han escogido tradicionalmente nombres relacionados con el espacio. ¿Podrías juntar el nombre de los siguientes conjuntos con el de las ciudades que los acogieron?

Cosmos

Galaxy

Comets

Stars

Los Ángeles

Saint Louis

New York

Baltimore

82 / ¿Qué novedad apareció en la camiseta de los jugadores en la Copa del Mundo de 1950?

a: los nombres de los jugadores

b: los patrocinadores de los equipos nacionales

c: los números de los jugadores

83 / ¿Qué es un gol olímpico?

a: cualquier gol marcado en unos Juegos Olímpicos

b: un gol marcado desde el campo propio

c: un gol marcado desde el córner sin que otro jugador toque el balón

Adivinanza

84 / ¿Cuántas temporadas estuvo el Granada en Primera División antes de su regreso a la máxima categoría en la campaña 2011-12?

Verdadero o falso

85 / El Fútbol Club Barcelona consiguió ganar en el año 2009 los seis títulos que disputaba, algo que no había conseguido ningún equipo anteriormente.

37

86 / Dos de los países que se enfrentaron en la fase preliminar de la Concacaf para conseguir plaza para el Mundial de México de 1970 iniciaron tras la eliminatoria que les enfrentó un breve conflicto militar conocido como la «guerra del fútbol». ¿Cuáles fueron estos países?

a: Honduras   **b:** Haití   **c:** Estados Unidos   **d:** El Salvador

Partidazo

87 / ¿A qué equipo marcó Zarra en el tercer partido de la fase de grupos el gol que permitió a España clasificarse entre los cuatro primeros del Mundial de 1950, disputado en Brasil?

a: Uruguay

b: Suecia

c: Inglaterra

d: Estados Unidos

88 / Brasil organizará el Mundial en el año 2014, donde tendrá la oportunidad de resarcirse de las malas actuaciones de los últimos campeonatos y recuperar el brillo que obtuvo tras ganar las ediciones de 1994 y 2002 y quedar finalista en 1998. ¿Cuál de estos jugadores estuvo presente en esas tres citas?

a: Ronaldo **b:** Roberto Carlos **c:** Rivaldo **d:** Dunga

89 / ¿En qué año se empezó a disputar la Liga de fútbol en España?

a: 1928 **c:** 1931
b: 1929 **d:** 1933

90 / Me consideran el mejor jugador inglés de todos los tiempos, me concedieron el título de *sir* y sobreviví al accidente de aviación en el que fallecieron varios compañeros del Manchester United.

91 / ¿Qué entrenador vasco llevó en 1994 a la selección nacional de Bolivia, por primera vez en su historia, a la fase final de una Copa del Mundo?

a: Javier Irureta

b: Xabier Azkargorta

c: Javier Clemente

d: José Manuel Esnal, Mané

¿Quién dijo?

92 / *El fútbol es lo que más me gusta... después del sexo.*

93 / En qué año se fundó el Recreativo de Huelva, el más antiguo de los clubes de fútbol españoles?

a: 1888

b: 1889

c: 1891

d: 1893

39

Cajasol

RECREATIVO DE HUELVA
DECANO DEL · FÚTBOL ESPAÑOL

94 / A lo largo de su historia, dos grandes clubes europeos fueron víctimas de accidentes aéreos en los que perdieron la vida buena parte de sus plantillas. ¿Cuáles fueron?

a: Inter de Milán   d: Manchester United

b: Torino   e: Benfica

c: Juventus

95 / En la temporada 1991-92 el RCD Espanyol fichó a cuatro jugadores rusos en lo que se vino a denominar la «Perestroika perica». ¿Cuál de ellos no provenía del CSKA de Moscú?

a: Dimitri Kuznetsov   c: Andrei Moj

b: Igor Korneev   d: Dimitri Galiamin

Verdadero o falso

96 / Nunca ha habido cuatro selecciones de las islas Británicas en una misma fase final de un Mundial.

Verdadero o falso

97 / La lista FIFA 100, que se dio a conocer en 2004 con motivo del centenario de la organización y que recopilaba los 125 mejores futbolistas vivos, no incluía a ninguna jugadora.

98 / ¿En qué temporada se asignaron los dorsales fijos para toda la temporada en la liga española?

99 / ¿Cuál de estos jugadores del Real Madrid de la temporada 1986-87 no pertenecía a la denominada «quinta del Buitre», que encabezó Emilio Butragueño?

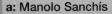

a: Manolo Sanchís

b: Ricardo Gallego

c: Miguel Pardeza

d: Rafael Martín Vázquez

e: Miguel González, Michel

100 / ¿Cuántas temporadas ha sido Luis Aragonés entrenador del Atlético de Madrid en Primera División hasta la campaña 2010-11?

a: 11

b: 14

c: 15

¿Quién soy?

101 / Triunfé como jugador en el Fútbol Club Barcelona de finales de los años cincuenta antes de convertirme en el primer español en fichar por un equipo italiano.

42

¿Quién soy?

102 / Fui un portero mítico del fútbol español;
el trofeo que distingue al guardameta menos
goleado de la liga española lleva mi nombre.

103 / ¿Qué motivó el arranque de la Copa América en 1916? La conmemoración del centenario de la independencia de...

a: Argentina   b: Chile   c: Brasil   d: Uruguay

104 / Antes de desembarcar en Europa, Maradona jugó en dos clubes argentinos. ¿Cuál fue el primero de ellos?

a: River Plate

b: Boca Juniors

c: Newell's Old Boys

d: Argentinos Juniors

Partidazo

105 / El 10 de mayo de 1947 se disputó en Glasgow un partido amistoso entre un combinado de jugadores británicos y otro de jugadores del resto de Europa, que se conoció como el «partido del siglo». ¿Cuál fue el resultado?

a: 3-1   b: 3-0   c: 6-1   d: 0-5

106 / ¿Quiénes popularizaron en la antigua Roma el juego de pelota conocido como *harpastum*?

a: los esclavos africanos

b: los prisioneros de guerra cartagineses

c: los soldados de las legiones

d: los miembros del Senado

Verdadero o falso

107 / España y Brasil son los únicos países que han ganado la Copa Mundial de fútbol sala desde que se instauró el torneo en 1989.

108 / ¿En qué edición de la Copa del Mundo se enfrentaron por primera y única vez en este campeonato las selecciones de la República Federal de Alemania y la República Democrática Alemana?

a: Inglaterra 1966

b: Alemania 1974

c: España 1982

d: Italia 1990

109 / Los equipos alemanes Bayer Leverkusen y Bayern de Munich están patrocinados por la misma empresa, la farmacéutica que comercializa la famosa Aspirina.

110 / En una Copa Mundial de Clubes participan equipos de todas las confederaciones asociadas a la FIFA. ¿Sabrías relacionarlas con sus áreas de influencia geográfica?

UEFA	América del Norte y Central y Caribe
CAF	Sudamérica
Concacaf	Oceanía
AFC	Europa
Conmebol	Asia y Australia
OFC	África

111 / Relaciona a estos jugadores con el tipo de regate que han popularizado:

Romario	bicicleta
Laudrup	ruleta
Zidane	croqueta
Ronaldinho	cola de vaca
Denilson	elástica

112 / ¿Cuál fue la primera altura que tuvo una portería de fútbol?

| a: 2,44 metros | b: 2,90 metros | c: 4 metros | d: 5,50 metros |

2014○W杯
夢はひとつ
ブラジルへ

47

113 / ¿En qué año se puso en marcha la J-League o liga japonesa?

114 / ¿Qué jugador español efectuó el centro que remató Marcelino para dar la victoria a España ante la URSS en la final de la Eurocopa de 1964?

a: Carlos Lapetra

b: Luis Suárez

c: Amancio Amaro

d: Chus Pereda

116 / ¿Qué equipo de la Confederación de Oceanía acordó en 2005 pasar a formar parte de la Confederación asiática?

a: Australia

b: Fidji

c: Nueva Zelanda

d: Samoa

Verdadero o falso

117 / En la temporada 1998-99, el Fútbol Club Barcelona que entrenaba Louis Van Gaal tenía a ocho jugadores holandeses en su plantilla.

118 / El profesionalismo estuvo mal visto en los orígenes del fútbol hasta el extremo de ser prohibido por la Football Association. ¿Sabes cuál fue el primer club profesional de la historia?

49

a: Notts County

b: Aston Villa

c: Wanderers

d: Clapham Rovers

¿Quién soy?

119 / Fui portero de la selección belga y una de las figuras del fútbol mundial de los años ochenta. Después de mi retirada protagonicé un reality show televisivo en el que mostraba el día a día de mi familia.

120 / La numeración clásica de los jugadores titulares de un partido de fútbol se corresponde con las posiciones que ocupan en el terreno de juego. ¿Sabrías relacionarlas correctamente?

1	delantero centro
11	interior derecho
8	defensa lateral derecho
2	extremo izquierdo
9	portero

Partidazo

121 / El 21 de diciembre de 1983, España y Malta se enfrentaron en partido de clasificación para la Eurocopa 1984. ¿Con cuántos goles de diferencia necesitaba ganar la selección española para acceder al campeonato?

a: 7 o más
b: 8 o más
c: 11 o más
d: 12 o más

122 / ¿De qué club es hincha declarado el periodista y escritor uruguayo Eduardo Galeano, autor de *El fútbol a sol y a sombra*?

a: Peñarol   b: Nacional de Montevideo   c: Cerro

d: Defensor Sporting

123 / ¿De qué entidad futbolística es presidente Michel Platini desde 2007?

a: Federación Internacional de Fútbol Asociación (FIFA)

b: Unlón de Asociaciones de Fútbol Europeas (UEFA)

c: Federación Francesa de Fútbol (FFF)

d: Liga de Fútbol Profesional Francesa (LFP)

e: Asociación Deportiva Nancy-Lorraine (AS Nancy)

Verdadero o falso

124 / Lev Yashin, mítico jugador soviético conocido como «la araña negra» por sus ágiles estiradas y por el color de su indumentaria, ha sido el único portero que ha recibido la distinción del Balón de Oro.

51

125 / ¿De qué color era la camiseta de Brasil antes de estrenar la ahora clásica camiseta *verdeamarelha* en 1954?

a: verde | b: blanca | c: azul | d: negra

126 / ¿Por qué la línea imaginaria trazada en perpendicular entre el centro de la portería y el límite del área grande mide 16,50 metros y no un número entero como 16 o 17?

52

Verdadero o falso

127 / El delantero mexicano Hugo Sánchez, que celebraba sus goles con una voltereta, consiguió cinco pichichis en la liga española defendiendo la camiseta del Real Madrid.

128 / ¿Desde qué edición de los Juegos Olímpicos pueden tomar parte futbolistas profesionales?

a: Munich 1972 | c: Los Ángeles 1984
b: Moscú 1980 | d: Barcelona 1992

129 / He participado en tres ediciones de la Copa del Mundo, he marcado más de 1000 goles a lo largo de mi carrera deportiva y mi nombre real es Edson Arantes do Nascimento.

130 / ¿Con qué apodo se conoce a la selección holandesa que en los años setenta llegó a dos finales consecutivas de la Copa del Mundo?

a: tulipanes marchitos

b: naranjitos

c: la naranja mecánica

d: el rodillo oranje

131 / Relaciona los siguientes nombres y apellidos de hermanos futbolistas:

De Boer	Gary y Phil
Milito	Michael y Brian
Neville	Frank y Ronald
Laudrup	Gaby y Diego

132 / ¿En qué año se introdujo la figura de los árbitros?

a: 1863   **b:** 1872   **c:** 1906   **d:** 1946

Adivinanza

133 / ¿Qué dos selecciones han sufrido en sus enfrentamientos en las ediciones de la Copa del Mundo de 1966 y 2010 dos goles fantasma que fueron decisivos para el resultado final del campeonato?

134 / ¿Cuál de estos entrenadores no ha llevado nunca las riendas de un equipo de la Premier League?

a: Rafa Benítez
b: Juande Ramos
c: Víctor Fernández
d: Roberto Martínez

135 / El primer partido que se disputó en un estadio cubierto tuvo como protagonista al Real Madrid.

136 / El Flamengo es uno de los clubes de fútbol más populares de Brasil, pero antes de constituirse como tal fue un club deportivo dedicado a otra especialidad. ¿A cuál?

a: voleibol   **b:** remo   **c:** natación   **d:** baloncesto

137 / ¿Qué portero que perteneció al Atlético de Madrid ha compaginado su condición de deportista con la de músico de rock?

a: Francisco Molina

b: David De Gea

c: Germán Mono Burgos

d: Abel Resines

138 / ¿Qué campeonato
de naciones comenzó antes?

a: Copa de Asia

b: Copa de África

c: Eurocopa

d: Copa de Oro (Concacaf)

Verdadero o falso

139 / La tanda de penaltis para desempatar un partido la inventó un español y se puso en práctica por primera vez en el trofeo Carranza de Cádiz.

140 / ¿Qué equipo quedó tercero en el Mundial de 2002 disputado en Corea del Sur y Japón?

a: Senegal

b: Corea del Sur

c: Suecia

d: Turquía

141 / ¿Qué artista francés de origen ruso es el autor de la serie de pinturas llamadas *Les Footballeurs*?

142 / La selección de Hungría de la década de 1950 tuvo actuaciones destacadas, como el segundo puesto en el Mundial de 1954 o la victoria sobre Inglaterra en Wembley en 1953, que le hicieron ganar el apodo de «los magiares mágicos». ¿Qué torneo había ganado en 1952 que le hizo también valedor del nombre de «equipo de oro»?

143 / El 11 de julio de 2010 España se proclamó campeona del mundo en Sudáfrica. ¿Sabes cuántos jugadores de la lista de Del Bosque repetían de la edición de 2006 disputada en Alemania?

a: 6   **b:** 8   **c:** 10   **d:** 11

? **¿Quién soy?**

144 / Fui cinco veces pichichi de la liga española y en marzo de 1981 mi secuestro conmocionó a todo el país.

145 / ¿Qué equipo ostenta el récord de temporadas presente en la Segunda División del fútbol español?

a: Murcia   **c:** Hércules
b: Cádiz   **d:** Castellón

146 / La FIFA cuenta con más países afiliados que la ONU.

147 / ¿Qué país ha ganado en más ocasiones la Copa Confederaciones?

a: Francia

b: Brasil

c: Dinamarca

d: Argentina

60

148 / ¿Qué equipo de la ciudad de Londres inspiró la novela de Nick Hornby *Fever Pitch* (en español *Fiebre en las gradas*)?

a: Chelsea   **b:** Queens Park Rangers   **c:** Fulham   **d:** Arsenal

149 / Relaciona a estos porteros míticos con la selección que defendieron:

Ferenc Platko	Holanda
Dino Zoff	URSS
Lev Yashin	Dinamarca
Gordon Banks	Inglaterra
Peter Schmeichel	Italia
Oliver Kahn	Hungría
Adrian Van der Sar	Alemania

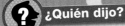 **¿Quién dijo?**

150 / Mis jugadores han corrido hoy por el campo como pollos sin cabeza. Es difícil hacerlo peor.

61

151 / El delantero Raúl González ganó seis Ligas en su etapa como jugador del Real Madrid. Fueron los campeonatos de las temporadas 1994-95, 2000-01, 2002-03, 2006-07, 2007-08 y...

? ¿Quién soy?

152 / Se me considera el inventor de las tarjetas para amonestar a los jugadores.

Verdadero o falso

153 / El presidente del club galés Cardiff City pidió en 1977 reestablecer la pena de látigo para hacer frente a los aficionados violentos.

154 / ¿A qué equipo pertenecía el portero húngaro Ferenc Platko cuando mereció el homenaje poético que le dedicó Rafael Alberti con su *Oda a Platko*?

a: Real Madrid
b: Barcelona
c: Real Sociedad
d: Espanyol

155 / ¿Cuál de estos equipos ha conseguido más títulos de la Copa de Italia?

a: Lazio
b: Sampdoria
c: Roma
d: Fiorentina

156 / En 1971 se estrenó *Las ibéricas F.C.*, de Pedro Masó, una «españolada» que aunaba fútbol y chicas. ¿Cuál de estas actrices de la época no participó en la cinta?

a: Rosana Yanni
b: Tina Sainz
c: Mónica Randall
d: Claudia Gravy
e: Ingrid Garbo

157 / ¿Cuándo se incluyó en el escudo del Liverpool la leyenda «You'll never walk alone»?

158 / ¿Cuál de estos jugadores españoles recaló antes en un equipo extranjero?

a: Rafael Martín Vázquez

b: Francisco José Carrasco

c: Josep Guardiola

d: Albert Ferrer

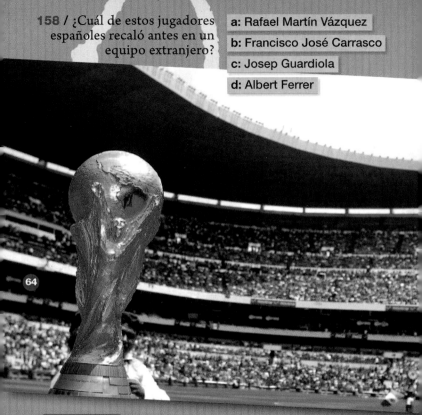

Adivinanza

159 / ¿En qué estadio y acontecimiento deportivo se popularizó mundialmente «la ola»?

160 / Desde los años cincuenta llegaron a la liga española jugadores sudamericanos que certificaron tener antepasados españoles. ¿Cómo se llamó a estos futbolistas?

161 / La película *Evasión o victoria* (1981), en la que participaron futbolistas como Pelé, Osvaldo Ardiles, Bobby Moore o Paul Van Himst, está basada en un hecho real.

65

162 / Relaciona a estos pichichis de la Liga con los equipos en los que consiguieron el trofeo:

Mundo	Athletic de Bilbao
César	Oviedo
Lángara	Real Madrid
Puskas	Barcelona
Zarra	Valencia

163 / ¿En qué partido de la fase final de la Copa del Mundo se han marcado más goles?

a: Brasil–Polonia, 1938

b: Hungría–RFA, 1954

c: Hungría–El Salvador, 1982

d: Austria–Suiza, 1954

164 / He sido el único jugador que ha participado en dos Mundiales representando a selecciones diferentes.

165 / ¿En qué año la reina Isabel II distinguió con el título de *sir* al entrenador escocés del Manchester United Alex Ferguson?

166 / Relaciona estos grandes jugadores con su país de origen:

Cristiano Ronaldo	Francia
Raymond Copa	Holanda
Franz Beckenbauer	Portugal
Johan Cruyff	Alemania

¿Cuántos campeonatos de Argentina, sumando los torneos de Apertura y Clausura, ha llevado a sus vitrinas el club Boca Juniors hasta la temporada 2010-11?

a: 20 **b: 23** **c: 27** **d: 28**

168 / ¿En qué ciudad italiana se desarrolló el *calcio*?

a: Roma   c: Siena

b: Turín   d: Florencia

68

169 / Luís Figo y Cristiano Ronaldo, dos de los más grandes jugadores portugueses de los últimos tiempos, coincidieron en el Real Madrid.

69

¿Quién dijo?

170 / Demostramos al mundo que puedes divertirte mucho como futbolista, que puedes reír y pasártelo en grande. Yo represento una época que dejó claro que el fútbol bonito es divertido y que, además, con él se conquistan triunfos.

a: Bobby Charlton

b: Romario

c: George Best

d: Johan Cruyff

171 / ¿Qué dos selecciones se enfrentaron en la final del Mundial de 1982, disputada en el estadio Santiago Bernabéu?

a: Italia y Brasil

b: Francia y Alemania

c: Italia y Alemania

d: España y Francia

172 / ¿Qué nombre recibía la modalidad que hoy conocemos como fútbol justo en el momento en el que se separó del rugby y previo a la unificación de 1863 en torno a la Football Association?

Verdadero o falso

173 / La selección de Nueva Zelanda ha participado en más ediciones de la Copa del Mundo que la de Australia.

¿Quién soy?

174 / Desarrollé mi carrera principalmente entre el Manchester United y Estados Unidos, y me consideran el mejor jugador de todos los tiempos de Irlanda del Norte.

175 / ¿Qué jugador ha defendido más veces la camiseta de España en una fase final del Campeonato del Mundo?

a: Zubizarreta

b: Casillas

c: Hierro

d: Xavi

176 / ¿Cuál de estos jugadores marcó más goles defendiendo la camiseta azulgrana?

a: César Rodríguez

b: Johan Cruyff

c: Hristo Stoichkov

d: Ladislao Kubala

Adivinanza

177 / La selección ganadora de un Mundial se lleva como premio desde 1970 el trofeo de la Copa Mundial de la FIFA, que simboliza a dos figuras humanas sosteniendo la Tierra. Entre 1930 y 1970 se usó otra estatuilla, ¿sabes su nombre?

178 / ¿Qué jugador marcó el gol número 50 000 de la Liga en la temporada 1997-98?

a: Lubo Penev

b: Darko Kovacevic

c: Christian Vieri

d: Fernando Correa

179 / Tras su época como jugador, el argentino Helenio Herrera se distinguió como entrenador de clubes de prestigio como el Atlético de Madrid, el Barcelona o el Inter de Milán. Pero también formó parte del equipo de entrenadores de tres selecciones nacionales. ¿Cuál es la que sobra en la siguiente relación?

a: Francia

b: Argentina

c: Italia

d: España

180 / ¿En qué temporada se instalaron en la liga española vallas para separar las graderías del terreno de juego ante la proliferación del lanzamiento de almohadillas, piedras, botellas y otros objetos?

a: 1966-67

b: 1974-75

c: 1975-76

d: 1977-78

181 / En qué temporada consiguió el Real Madrid su primera victoria en la Copa de Europa?

a: 1955-56 **b:** 1956-57 **c:** 1959-60 **d:** 1963-64

182 / ¿Quién es el máximo goleador en la historia de la Copa del Mundo?

a: Pelé **b:** Ronaldo **c:** Maradona **d:** Puskas

183 / ¿En qué país se puso en marcha la táctica defensiva conocida como *catenaccio*?

| a: Italia | b: Argentina | c: Suiza | d: Austria |

184 / ¿Qué jugador ha marcado más goles en un solo partido defendiendo la camiseta de la selección española en un Mundial?

a: Villa

b: Raúl

c: Butragueño

c: Julio Salinas

185 / ¿Qué altura mínima ha de tener un banderín de córner?

a: 1 metro

b: 1,50 metros

c: 1,75 metros

186 / El primer encuentro disputado entre dos selecciones fuera de las islas británicas fue el que enfrentó a Austria y Hungría en 1902, en el que venció Austria por 5 a 1. ¿A qué estado pertenecían ambas?

187 / ¿En qué continente se instaló por primera vez el césped artificial en un campo descubierto?

a: África

b: Europa

c: América del Sur

d: Norteamérica

188 / ¿De dónde procede el nombre del club Peñarol?

SOLUCIONES

R1: Falso. El Inter se fundó en 1908 por disidentes del Milan Cricket and Football Club (el actual AC Milan, fundado en el año 1899) para poder acoger a jugadores extranjeros. De ahí su nombre completo: Football Club Internazionale di Milano.

R2: Manuel Vázquez Montalbán. Los artículos recogidos en este libro póstumo se extrajeron de su ordenador personal tras su fallecimiento en 2003. Supervisó la obra su hijo, Daniel Vázquez.

R3: En la temporada 2000-01. A partir de la 18ª jornada (14 de enero de 2001) incorporaron en sus camisetas el logotipo de la plataforma de televisión Quiero.

R4: Arconada. El mítico portero de la Real Sociedad y de la selección española de la década de 1980 obtuvo el trofeo Zamora en las temporadas 1979-80, 1980-81 y 1981-82.

R5: Perú. En Uruguay se celebró en 1930, en Chile en el año 1962 y en Argentina en 1978.

R6: Cristiano Ronaldo. Su llegada en 2009 costó al Real Madrid 94 millones de euros.

R7: Verdadero.

R8: John Aldridge. El delantero irlandés fichó en la temporada 1989-90 procedente del Liverpool, rompiendo así la tradición donostiarra de no alinear a jugadores extranjeros, esquema que sí continúa el Athletic de Bilbao.

R9: 173 850 espectadores. La otra final que ha superado la barrera de los cien mil asistentes fue la de México 1986, que llegó a los 114 600. De cara al Mundial de 2014, que se celebrará en Brasil y que tendrá a Maracaná como una de sus sedes, el estadio ubicado en Río de Janeiro tendrá una capacidad para 82 238 personas.

R10: Deportivo de La Coruña, conocido en aquellos años como el Superdépor, con 69 puntos, cinco más que Barça y Valencia.

R11: Watford. Sir Elton John fue propietario y presidente en dos épocas: una primera entre 1976 y 1987 y una segunda entre 1997 y 2002. En la primera el equipo subió a Primera División desde la cuarta categoría (acabó segundo en la temporada 1982-83, jugó la Copa de la UEFA y fue finalista de la Copa en la 1983-84) y en la segunda ascendió en varias ocasiones a la Premier League desde la Segunda División. Actualmente es presidente honorífico del club.

R12: Países Bajos.

R13: Verdadero. Fue máximo goleador en las temporadas 1976-77 y 1977-78.

R14: Wanderers–Clapham Rovers, en Inglaterra, en 1878.

R15: 1982. La semifinal que enfrentó a las selecciones de Francia y la República Federal de Alemania en el Mundial de España concluyó con empate a uno. En el tiempo suplementario el marcador se situó en empate a tres goles y finalmente la tanda de penaltis decidió el encuentro en favor de los germanos (5-4).

R16: 1992. Los chicos que entrenaba Vicente Miera se impusieron a Polonia (3-2) en la final disputada en el Camp Nou de Barcelona.

R17: El grupo de los clubes más poderosos de Europa. Se formó en el año 2000 y estaba compuesto por Barcelona, Real Madrid, Juventus, AC Milan, Inter de Milán, Liverpool, Manchester United, Borussia Dortmund, Bayern de Munich, Olympique de Marsella, Paris Saint Germain, Ajax, PSV Eindhoven y Porto. Se amplió en 2002 con cuatro nuevos miembros y en 2008 fue sucedido por la Asociación de Clubes Europeos.

R18: Joan Miró. Tàpies y Chillida también participaron en la iconografía del Mundial celebrado en España, si bien los carteles que diseñaron fueron para ilustrar las sedes de Barcelona y Bilbao, respectivamente.

R19: Stanley Matthews. Inauguró el palmarés del trofeo otorgado por la revista France Football que distingue al mejor jugador del año en 1956, cuando contaba 41 años.

R20: Verdadero. Su padre, Pablo Forlán, jugó con Uruguay los Mundiales de 1966 y 1974. Y su abuelo materno, Juan Carlos Corazo, fue seleccionador de Uruguay en el Mundial de 1962.

R21: Soccer. El origen del término viene de la abreviatura de Football Association, la organización fundada en Londres en 1863 que sirvió para unificar los diferentes reglamentos existentes hasta la fecha. Se popularizó en Estados Unidos en contra del término *football* para no confundirlo con el deporte que conocemos en España como fútbol americano.

R22: Venezuela.

R23: Alan Simonsen, jugador del Barcelona entre 1979 y 1983, fue galardonado con el Balón de Oro en el año 1977, campaña en la que formaba parte del Borussia Mönchengladbach alemán.

R24: Una enfermedad. Camus, que afirmó que hubiera cambiado las letras por el fútbol si le hubiera respetado la salud, padecía tuberculosis desde los 17 años.

R25: La Pulga. Haciendo un juego de palabras con su apellido y con la condición de sucesor del «dios» argentino del fútbol (Maradona), también se le conoce como el Messias.

R26: Verdadero. Así, por ejemplo, la Real Sociedad cambió su nombre por el de Donostia.

R27: Gordillo. El jugador extremeño pasó, en dos épocas distintas, doce temporadas defendiendo la camiseta bética. Entre 1985 y 1992 jugó en el Real Madrid, donde consiguió 5 Ligas, 1 Copa del Rey, 1 Copa de la UEFA y 3 Supercopas. Se retiró en el Écija y ha llegado a ser presidente del Betis.

R28: Gary Lineker, delantero inglés.

R29: La selección se clasificó por primera vez para disputar la fase final de un Mundial (Corea/Japón 2002). Senegal dejó fuera del campeonato a selecciones con más tradición como Egipto o Marruecos. El partido clave de la fase preliminar fue ante el combinado marroquí, el rival más fuerte del grupo, y Senegal se impuso por 1 gol a 0. El encuentro tuvo lugar el 14 de julio de 2001 en el estadio Léopold Sédar Senghor, ante 60000 espectadores. En la última jornada los senegaleses vencieron a la débil Namibia por 0 a 5 y lograron el billete para el Mundial asiático.

R30: La Copa de Ferias. Se le considera la antecesora de la Copa de la UEFA, actual Liga Europa.

R31: Falso. Marcó 41 goles en 72 partidos, cifra que supera Thierry Henry con 51 dianas en 123 partidos.

R32: La del Sarre. Correspondía a una zona de Alemania controlada por Francia, y su autonomía le llevó a tener selección propia. Compitió en la fase previa del Mundial de 1954, donde consiguió una victoria ante Noruega. En 1956, tras un referéndum que proclamó la anexión a la Alemania Occidental, se desmanteló.

R33: Alfredo Di Stéfano. Su fichaje en 1953 enfrentó al Real Madrid y al FC Barcelona.

R34: Robert Fernández. El centrocampista internacional llegó al Barça tras formarse en el Castellón y el Valencia.

R35: A 11 metros.

R36: Nervionenses del **Sevilla**, **colchoneros** del **Atlético de Madrid**, **rojillos** del **Osasuna**, **bermellones** del **Mallorca** y **boquerones** del **Málaga**.

R37: La Inquisición. Los religiosos que la representaban en América la prohibieron, según escritos oficiales, por el riesgo físico que entrañaba su práctica para los indígenas, si bien otras fuentes de la época reconocieron que era por su carácter ritual. Juan Bautista Pomar dice en la *Relación de Texcoco* (1582): «Al presente no lo juegan porque al principio de su conversión se les prohibió por los frailes, pensando que en él había algunos hechizos o encomiendas o pactos con el Demonio». En cualquier caso, la prohibición no causó la desaparición. En el Mundial 2006, en Alemania, se llevó a cabo una gira de exhibición de este juego prehispánico.

R38: Verdadero. Fue en la segunda jornada, disputada el 9 de septiembre de 1984.

R39: 1921. El primer partido oficial de fútbol femenino se había disputado en 1895, entre dos combinados de la ciudad de Londres llamados norte y sur. La prohibición se levantó en 1971, momento en el que inició su expansión en el resto del mundo. El primer partido de fútbol femenino entre selecciones tuvo lugar en 1972.

R40: Athletic de Bilbao. Su estadio recibe el nombre de San Mamés porque se situó sobre unos terrenos en los que había habido una ermita dedicada al santo. El campo fue inaugurado en 1913.

R41: Brasil, que ha participado en los 19 campeonatos que se llevan disputados hasta el de Sudáfrica 2010.

R42: Franz Beckenbauer.

R43: Falso. Se ha impuesto en tres ocasiones: en las ediciones de 1954, 1974 y 1990.

R44: David Villa, con 8 dianas: 3 en Alemania 2006 y 5 en Sudáfrica 2010. Fernando Hierro le supera en goles en fases de clasificación, con 10 tantos.

R45: Saint-Etienne, con 10 títulos. El último de ellos lo consiguió en la temporada 1980-81. Le siguen Olympique de Marsella (9), Nantes (8) y Olympique de Lyon y Mónaco (7).

R46: Obstrucción.

R47: Oscar Wilde.

R48: Emilio Carlos Guruceta, colegiado internacional español. Arbitró 168 partidos de Liga y más de cien encuentros internacionales durante las décadas de 1970 y 1980. Falleció en un accidente el 25 de febrero de 1987.

R49: Inglaterra. El gol con la mano significó el 1-0 a favor de los argentinos, que acabaron ganando el partido por 2 goles a 1. El conjunto albiceleste acabó ganando aquel campeonato y Maradona fue elegido como mejor jugador del torneo.

R50: José María Cano, músico y compositor, miembro del grupo de pop Mecano.

R51: Falso. Hasta la temporada 2010-11 ha habido nueve equipos ganadores: Real Madrid, FC Barcelona, Athletic de Bilbao, Real Sociedad, Valencia, Deportivo, Atlético de Madrid, Real Betis y Sevilla.

R52: Al Liverpool, por su uniforme totalmente rojo. A los del Arsenal se les conoce como los «gunners» (cañoneros), los del Manchester United son los «red devils» (diablos rojos) y los del Aston Villa son «the villans» (los villanos).

R53: Entre 410 y 450 gramos.

R54: En 1966, en el Mundial disputado en Inglaterra. Se clasificó tras batir a Australia en la eliminatoria preliminar asiática, y una vez en la fase final dejó fuera del torneo a Italia tras ganarle 1-0 el 19 de julio en el último partido de la primera ronda, tras haber perdido con la URSS y empatado con Chile. En cuartos de final cayeron 5-3 con la Portugal de Eusebio, a pesar de haber colocado en el marcador un 0-3 a su favor.

R55: La agresión a un contrario. En el minuto 110 de partido, Zidane propinó un cabezazo en el pecho del defensa italiano Materazzi y fue expulsado del encuentro. Italia acabó ganando la final en la tanda de penaltis. De todos modos no fue el motivo de su retirada; Zizou ya la había anunciado en abril de ese mismo año.

R56: Falso. La sanción fue levantada finalmente y sí disputó la competición. El equipo azulgrana llegó a semifinales, donde fue superado por el Celta de Vigo.

R57: Paco Gento, en un partido entre el Real Madrid y el Racing de Santander (su primer club), disputado el 24 de octubre de 1954 en el estadio Santiago Bernabéu. Fue la primera transmisión de un partido de fútbol en España y se hizo a título experimental.

R58: 1930. La primera edición se celebró del 13 al 30 de julio y en ella tomaron parte trece selecciones. España no participó en esa primera cita.

R59: Trofeo Teresa Herrera, que se disputa en La Coruña desde 1946. El Carranza se puso en marcha en 1955, el Colombino en 1965 y el trofeo Joan Gamper en 1966.

R60: *El rey Lear* (1601). Esta referencia se considera la primera aparición del fútbol en la literatura inglesa. En la escena cuarta del primer acto, el conde de Kent la pronuncia para dirigirse de forma despectiva a Osvaldo, criado de una de las hijas del rey, que acaba de hablar de forma irreverente al monarca.

R61: Verdadero. El cerebro de la selección colombiana de la década de 1990 tomó parte en los Mundiales de 1990, 1994 y 1998. Valderrama fue elegido además mejor jugador sudamericano en 1987 y 1993. Acabó su carrera en Estados Unidos.

R62: Vittorio Pozzo. El italiano llevó a la *azzurra* a vencer en los Mundiales de 1934 y 1938.

R63: Richard Mulcaster. Fue director de la Merchants Taylor School y de la St. Paul School. A pesar de las prohibiciones que el fútbol tuvo durante la época isabelina en Inglaterra, Mulcaster defendió su práctica. Además, abogó por limitar el número de participantes y por incluir la figura de un árbitro.

R64: Desde 2007. La UEFA lo aprobó en enero de ese año, en el estreno de Michel Platini al frente de la organización. El primer club andorrano en participar en la Champions, en la temporada 2007-08, fue el FC Ranger's, que cayó eliminado por el Sheriff húngaro.

R65: Primera victoria de un equipo continental ante Inglaterra en territorio británico. El partido se jugó en Wembley y vencieron los húngaros por 3 a 6 goles.

R66: Federación Internacional de Fútbol Asociación.

R67: Kubala. Nació en 1927, mientras que Di Stéfano lo hizo en 1926.

R68: Dinamarca y Países Bajos, que lo hicieron en 1889.

R69: Sócrates. El que fuera capitán de la selección carioca en los años ochenta, la que fue conocida por practicar el *jogo bonito*, falleció en diciembre de 2011. «El doctor» destacó por su gran calidad técnica y por chutar los penaltis con el tacón, de espaldas a la portería.

R70: Verdadero. El árbitro es un elemento más del campo, como puede ser un poste, y si de manera involuntaria el balón es introducido en la portería tras golpear al colegiado el gol debe darse por válido.

R71: Queen. Forma parte del álbum *News Of The World*, que la banda de Freddie Mercury publicó en 1977.

R72: Egipto. Participó en el Mundial de Italia 1934 tras derrotar en la fase preliminar a Palestina. En el campeonato cayó en octavos de final con Hungría (4-2), con dos dianas de Abdulrahman Fawzi. Los siguientes conjuntos africanos que participaron en un Mundial fueron Marruecos en 1970 y Zaire en 1974.

R73: Verdadero. Ganó la Liga en la temporada 1945-46, la Copa del Rey en cinco ocasiones (1935, 1939, 1948, 2007 y 2010) y la Supercopa de España de 2007. También ha ganado la Copa de la UEFA las temporadas 2005-06 y 2006-07.

R74: Cinco campeonatos. En la campaña 1896-97 logró además el doblete al imponerse en la competición de Copa.

R75: Jean-Marc Bosman. Jugador belga, en verano de 1990 intentó fichar por el Dunkerque francés tras acabar su contrato con el Real Fútbol Club Lieja, pero este equipo se negó a dejarlo marchar libremente. Su lucha en los tribunales concluyó finalmente en 1995, cuando el Tribunal de Justicia de la Unión Europea declaró que en el ámbito de la UE cualquier jugador puede cambiar libremente de equipo al finalizar un contrato.

R76: Andrés el ciempiés, la mascota de la Asociación de Futbolistas Españoles, creada en 1981. Naranjito fue la mascota ganadora de un concurso al que se presentaron 600 dibujos, mientras que Toribalón y Brindis fueron las otras propuestas finalistas.

R77: Mundial de Suiza de 1954. Fue en el partido inaugural de la quinta edición de la Copa del Mundo, que tuvo lugar el 16 de junio en Lausana y que enfrentó a los equipos de Yugoslavia y Francia.

R78: Florentino Pérez.

R79: Blackheath. Supuso la consolidación por separado de fútbol y rugby.

R80: Verdadero. El club fue fundado en 1878 bajo la denominación de Newton Heath LYR Football Club por empleados de la compañía de ferrocarril Lancashire y Yorkshire. En 1902, tras estar cerca de la bancarrota, cambió de dueños y pasó a denominarse Manchester United.

R81: New York Cosmos (1971-1984), **Los Ángeles Galaxy** (1955-actualidad), **Baltimore Comets** (1974-75) y **Saint Louis Stars** (1967-77).

R82: Los números de los jugadores.

R83: Un gol marcado directamente desde el saque de esquina sin que nadie toque el balón en su trayectoria hasta la portería. El primero lo marcó el argentino Cesáreo Onzari, en un partido de su selección contra Uruguay. Se le llamó olímpico porque el equipo que recibió el gol se había adjudicado unos meses antes el torneo olímpico. El gol fue válido por una modificación de las reglas introducida ese mismo año, ya que hasta 1924 el córner se consideraba un lanzamiento indirecto.

R84: 17 temporadas. 4 entre 1941 y 1945, 4 entre 1957 y 1961, la 1966-67 y 8 entre 1968 y 1976. Su mejor clasificación fue 6º en dos ocasiones: en las temporadas 1971-72 y 1973-74.

R85: Verdadero. En 2009, con Pep Guardiola como entrenador, los azulgrana se impusieron en la Liga, la Champions League, la Copa del Rey, la Supercopa de España, la Supercopa de Europa y el Mundial de clubes.

R86: El Salvador y Honduras. La plaza para disputar el Mundial fue para El Salvador.

R87: Inglaterra. El equipo español acabó cuarto en la clasificación, después de empatar con Uruguay y de perder con Brasil y Suecia en la ronda final.

R88: Ronaldo. El astro brasileño formó parte de la selección del Mundial de 1994 con tan solo 17 años, si bien no disputó ningún partido.

R89: 1929. El 10 de febrero de aquel año se disputó la jornada inaugural de la primera edición del torneo de la regularidad. El campeonato nacional fue disputado por diez equipos y concluyó el 30 de junio con el Barcelona como campeón. A pesar de que no se disputó ningún partido en 1928, en el historial de la competición esta temporada inicial puede ser referenciada como la 1928-29.

R90: Bobby Charlton.

R91: Xabier Azkargorta. Tras su etapa española (Espanyol, Valladolid, Sevilla y Tenerife), entrenó a la selección boliviana y la clasificó para Los Ángeles 1994. Posteriormente, también fue entrenador de la selección de Chile y del Yokohama Marinos japonés.

R92: Romario Da Souza Faria, ex jugador brasileño que triunfó, entre otros equipos, en el Fútbol Club Barcelona. Fue campeón del mundo en 1994.

R93: 1889. El decano de los clubes españoles fue fundado por ciudadanos británicos con el nombre de Huelva Recreation Club. En 1903 pasó a denominarse Club Recreativo de Huelva.

R94: Torino y Manchester United. Los italianos sufrieron en 1949 la llamada tragedia de Superga, donde 18 de sus integrantes perdieron la vida al estrellarse su avión en las proximidades del aeropuerto de Turín. A los ingleses les visitó la tragedia en 1958, cuando el avión que les llevaba de regreso a Inglaterra se estrelló al despegar del aeropuerto de Munich. Perdieron la vida ocho integrantes de la plantilla.

R95: Andrei Moj, que procedía del Spartak de Moscú si bien también había militado anteriormente en el CSKA.

R96: Falso. Inglaterra, Escocia, Irlanda del Norte y Gales participaron en el Mundial de 1958.

R97: **Falso**. La lista, realizada por Pelé, incluía a las jugadoras estadounidenses Mia Hamm y Michelle Akers.

R98: **En la temporada 1995-96**, campaña en la que también se aprobaron las tres sustituciones por equipo y la contabilización de tres puntos por victoria en un partido.

R99: **Ricardo Gallego**, apodado «el soso». También fue un jugador formado en la cantera blanca, pero su ascenso al primer equipo fue algo anterior al de la generación de Butragueño.

R100: **14 temporadas**. En cuatro épocas: 1974-80, 1982-87, 1991-93 y la 2002-03. También entrenó al equipo en la temporada 2001-02, pero fue en Segunda División.

R101: **Luis Suárez**, que se incorporó al Inter de Milán en la temporada 1961-62 tras ganar 2 Ligas, 2 Copas y 1 Copa de Ferias con el Barça. En el equipo milanés ganó 3 Ligas o Scudettos, 2 Copas de Europa y 2 Copas Intercontinentales. Como internacional, lideró la selección que ganó el Campeonato de Europa en 1964.

R102: **Ricardo Zamora**.

R103: **Argentina**. Fue el primer anfitrión del por entonces llamado Campeonato Sudamericano de Selecciones. El torneo se celebró en julio de 1916 y el primer campeón fue Uruguay.

R104: **Argentinos Juniors**. Estuvo en el equipo entre 1976 y 1980, años en los que consiguió cinco trofeos como máximo goleador. Pasó al Boca Juniors en 1981 y ganó la liga argentina. Llegó al Barcelona en la temporada 1982-83.

R105: **6-1**. El encuentro se disputó para festejar el regreso de Inglaterra, Gales, Escocia e Irlanda del Norte a la FIFA tras su expulsión en 1920. Ningún jugador español participó en el espectáculo. El 13 de agosto de 1955 los jugadores del resto de Europa se tomaron la revancha en un segundo «partido del siglo» y se impusieron a los británicos por 4 goles a 1.

R106: **Los legionarios**. Se cree que lo introdujeron incluso en suelo británico, pero que su llegada no influyó demasiado en la posterior creación del *football*.

R107: Verdadero. Brasil ha ganado cuatro veces el Mundial (1989, 1992, 1996 y 2008) y España lo ha hecho en dos ocasiones (2000 y 2004). España es la gran dominadora de esta modalidad en Europa.

R108: Alemania 1974. Fue en el tercer partido del grupo 1, que se disputó en Hamburgo el 22 de junio ante 60 200 personas. Venció la RDA por 1-0 y el gol de la victoria lo marcó Sparwasser.

R109: Falso. El equipo de Leverkusen sí, pero no el muniqués. Bayern quiere decir en alemán Baviera, que es el estado federado del cual es capital la ciudad de Munich.

R110: Europa (UEFA), África (CAF), Sudamérica (Conmebol), Oceanía (OFC), Asia y Australia (AFC) y América del Norte y Central y Caribe (Concacaf).

R111: Romario (cola de vaca), Laudrup (croqueta), Zidane (ruleta), Ronaldinho (elástica), Denilson (bicicleta).

R112: 5,50 metros.

R113: 1993. El primer partido se jugó el 15 de mayo en el estadio Nacional de Tokio, entre el Yomiuri Verdy y el Nissan Marinos.

R114: Chus Pereda. El jugador del Barça había marcado el primer gol del encuentro y realizó el centro que permitió a España llevarse la final disputada en Madrid. Durante años se creyó que la asistencia la había realizado Amancio porque así lo certificaba la información del No-Do.

R115: *Joden* (judíos) o *godenzonen* (hijos de Dios). El motivo es que el club se fundó en un gueto judío de Amsterdam y que algunos de sus directivos han sido judíos. En las gradas de su estadio los hinchas exhiben habitualmente la bandera de Israel.

R116: Australia. El cambio se hizo oficial el 1 de enero de 2006 y estuvo motivado por las ganas de progresar deportivamente de la mayor potencia futbolística de la zona. La Confederación de Oceanía se había quedado pequeña para los australianos, que en 2001 habían infligido derrotas escandalosas a rivales como Tonga (22 a 0) o Samoa Americana (31 a 0).

R117: Verdadero. Seguían de la temporada anterior Hesp, Reiziger y Bogarde, y se incorporaron Cocu, Kluivert, Zenden y los hermanos Ronald y Frank De Boer.

R118: El Notts County, fundado en 1862.

R119: **Jean-Marie Pfaff,** líder de los «diablos rojos» en los ochenta, estuvo presente en dos Mundiales y dos Eurocopas. Ganó 3 Bundesligas y 2 Copas de Alemania defendiendo la meta del Bayern de Munich. En 2003 protagonizó el reality show *De Pfaffs*.

R120: 1 portero, 2 defensa lateral derecho, 8 interior derecho, 9 delantero centro, 11 extremo izquierdo.

R121: 11 o más. El resultado final del partido fue 12 a 1.

R122: Nacional de Montevideo.

R123: UEFA.

R124: Verdadero. Yashin está considerado el mejor guardameta de todos los tiempos. Con la URSS fue campeón olímpico en 1956 y conquistó la primera edición de la Eurocopa allá por el año 1960. Estuvo presente además en cuatro Mundiales (1958, 1962, 1966 y 1970).

R125: Blanca. El conjunto brasileño se cambió al amarillo con adornos verdes tras perder en Río de Janeiro la final del Mundial de 1950 ante Uruguay, sorprendente derrota que se ha popularizado con el nombre de Maracanazo.

R126: Debido a que se han convertido las medidas originales del fútbol inglés, contadas en yardas. Por ello la mayoría de medidas del campo no dan un valor entero en metros, como la portería (7,32 x 2,44 m) o el área de meta (5,50 m).

R127: Falso. El primero de los trofeos Pichichi lo consiguió en el Atlético de Madrid, en la temporada 1984-85. Compartió el premio con el delantero del Real Madrid Juanito. Ambos consiguieron 19 goles.

R128: Desde 1984. La FIFA autorizó la participación de profesionales, pero no dejó que acudieran jugadores europeos y sudamericanos que hubieran tomado parte en el Mundial de 1982. De eso se beneficiaron en teoría los equipos de países menos competitivos. Las grandes escuadras, como Brasil, Alemania, Italia o Francia, acudieron con sus equipos «B», en los que había figuras en ciernes como Dunga (Brasil), Brehme (Alemania) o Baresi (Italia). El torneo lo ganó Francia, cuya selección «A», capitaneada por Platini, se había impuesto en junio en la Eurocopa.

R129: Pelé.

R130: La naranja mecánica. La selección de los Países Bajos adoptó el término de la impactante película de Stanley Kubrick de 1971 por el color de la camiseta y el buen juego que desplegó durante esos años. Holanda se plantó en las finales de los Mundiales de Alemania 1974 y Argentina 1978.

R131: Frank y Ronald de Boer; Gaby y Diego Milito; Gary y Phil Neville; Michael y Brian Laudrup.

R132: 1872.

R133: Inglaterra y Alemania. En 1966 Inglaterra se adelantó (3-2) a los germanos en la prórroga de la final con un gol polémico de Hurst. Su equipo acabó ganando la final por 4 goles a 2. En el Mundial 2010, en Sudáfrica, el inglés Lampard fue el protagonista de un gol fantasma que no subió al marcador y que podría haber evitado la eliminación de su selección a manos de Alemania, que llegó a semifinales del torneo. Esa acción, 44 años después, se llamó la venganza alemana.

R134: Víctor Fernández, que ha desarrollado la mayor parte de su carrera como entrenador en España, al frente del Zaragoza, el Tenerife, el Celta y el Betis. Su única experiencia en el extranjero fue en el Porto en la temporada 2004-05. Benítez ha entrenado al Liverpool, Ramos al Tottenham y Martínez al Wigan.

R135: Verdadero. El partido enfrentó al Real Madrid y al West Ham en el Astródomo de Houston el 19 de abril de 1967. La superficie era césped artificial. Ganaron los blancos por 3 goles a 2.

R136: Remo. El Clube de Regatas do Flamengo se fundó en 1895 y añadió la sección futbolística en 1911.

R137: Germán Mono Burgos. El cancerbero argentino, que defendió la meta colchonera tres temporadas (entre 2001 y 2004) tras su paso por el Mallorca, formó en 1994 la banda de rock duro Simpatía, que en 2002 pasó a denominarse The Garb.

R138: La Copa asiática. La primera edición se celebró en 1956 y la ganó Corea del Sur. La africana se puso en marcha en 1957, la europea en 1960 y la Copa de Oro en 1963.

R139: Verdadero. Fue una propuesta del periodista gaditano Rafael Ballester y se utilizó en la final de la octava edición del torneo, disputada en 1962, que enfrentó al Barcelona —a la postre vencedor— y el Zaragoza.

R140: Turquía. Eliminó a Japón en octavos de final y a Senegal en cuartos. Cayó en semifinales ante Brasil y ganó a Corea del Sur en el partido por el tercer y cuarto puesto.

R141: Nicolas de Staël. El pintor los realizó en París en 1952 tras asistir a un partido entre Francia y Suecia en el estadio Parque de los Príncipes.

R142: Los Juegos Olímpicos de Helsinki.

R143: 11. Los jugadores que estuvieron presentes en las dos citas mundialistas fueron Casillas, Marchena, Puyol, Iniesta, Villa, Xavi, Torres, Cesc, Xabi Alonso, Ramos y Reina.

R144: Enrique Castro, Quini, alias «el brujo». Fue secuestrado por delincuentes comunes el 1 de marzo de 1981 y liberado el 25 del mismo mes. Quini fue el máximo goleador de la competición tres veces con el Sporting de Gijón y dos con el Barcelona.

R145: Murcia. Hasta la temporada 2011-12 ha estado presente en 51 ediciones de la división de plata.

R146: Verdadero. 208 estados están afiliados a la federación futbolística mientras que la Organización de las Naciones Unidas cuenta con 193 miembros.

R147: Brasil. Ha ganado este torneo de selecciones tres veces: 1997, 2005 y 2009. Francia, en dos ediciones, y México, Argentina y Dinamarca lo han logrado una vez.

R148: Arsenal. Hornby es un gran aficionado *gunner*. La novela fue llevada al cine (en este caso se tradujo como *Fuera de juego*), protagonizada por Collin Firth. Posteriormente se hizo una versión en Estados Unidos inspirada en el equipo de béisbol de los Red Sox.

R149: Platko (Hungría), Zoff (Italia), Yashin (URSS), Banks (Inglaterra), Schmeichel (Dinamarca), Kahn (Alemania), Van der Sar (Holanda).

R150: John Benjamin Toshack, en su etapa de entrenador del Real Madrid.

R151: 1996-97. El Real Madrid conquistó la Liga con dos puntos de diferencia sobre el Barcelona.

R152: Ken Aston, árbitro británico que en 1966, tras ver un partido del Mundial de Inglaterra en el que se amonestó a varios jugadores sin que el público lo advirtiera, ideó un sistema para que las decisiones de los colegiados no pasaran desapercibidas: las tarjetas amarilla y roja. La medida se puso en marcha oficialmente en el Mundial de México de 1970.

R153: **Verdadero.** Stefan Terlezki, político del partido conservador y presidente del Cardiff City Football Club, solicitó por escrito al entonces primer ministro británico, el laborista James Callaghan, que restableciera la pena de látigo para contrarrestar la acción de los gamberros del fútbol, a quienes consideraba «una amenaza creciente para la sociedad».

R154: **Barcelona.** El guardameta despertó la admiración del poeta gaditano mientras este contemplaba en Santander el primer partido de la final de Copa entre barcelonistas y donostiarras en 1928, que según las crónicas fue muy violento. Platko recibió una patada en la cabeza que le hizo sangrar abundantemente. Cuando parecía que iba a verse obligado a dejar el partido, regresó al campo con un aparatoso vendaje. Aquel enfrentamiento acabó con empate a un gol y el Barça acabó ganando la competición.

R155: **Roma.** Es el equipo que más campeonatos ostenta hasta la temporada 2010-11, empatado con la Juventus. Ambos han conseguido nueve títulos. «La Roma», además, es el conjunto que más veces ha sido finalista: 16.

R156: **Mónica Randall.** La actriz catalana intervino en películas de la época rodadas por Masó, como *Verano 70* (1969), pero no en este filme sobre un improvisado equipo de fútbol femenino.

R157: **En la temporada 1992-93.** Se realizó en homenaje a las víctimas de la tragedia de Hillsborough, ocurrida en 1989. Coincidió también con el cambio de patrocinador del club, de Candy a Carlsberg. *You'll never walk alone* es la canción que desde 1964 la grada del estadio de Anfield canta en el inicio de cada partido para animar al equipo. Se trata de una canción de 1945 que popularizó en Liverpool la banda Gerry and the Pacemakers a principios de los años sesenta.

R158: **Francisco José Lobo Carrasco,** que fichó por el Sochaux francés en la temporada 1989-90 procedente del Barça. Martín Vázquez cambió el Real Madrid por el Torino en la 1990-91, Guardiola el Barça por el Brescia en la 2001-02 y Ferrer el Barça por el Chelsea en la 1998-99.

R159: **En el estadio Azteca de México,** en el Campeonato del Mundo de 1986. «La ola» había surgido en estadios de Estados Unidos, pero fue gracias a la difusión televisiva del Mundial (150 países) que se hizo popular entre los aficionados de todo el planeta.

R160: Oriundos. Muchos de estos fichajes estuvieron bajo sospecha y para acabar con la polémica la Liga permitió en 1973 el fichaje de dos jugadores extranjeros por equipo.

R161: Verdadero. El filme se basa en el denominado «partido de la muerte», disputado en 1942, entre un grupo de ex jugadores del Dinamo de Kiev y un equipo del ejército del aire alemán en la ocupada ciudad ucraniana. Vencieron los primeros a pesar del arbitraje y las amenazas. Posteriormente, los jugadores fueron arrestados y algunos de ellos ajusticiados.

R162: Mundo (Valencia), César (Barcelona), Lángara (Oviedo), Puskas (Real Madrid), Zarra (Athletic de Bilbao).

R163: En el encuentro Austria–Suiza de cuartos de final del Mundial de 1954, que tuvo lugar en Suiza. El resultado final fue de 7 a 5 a favor de los austriacos, a pesar de encajar un 3-0 inicial en contra.

R164: Luis Monti. En 1930 jugó con Argentina. Después fichó por la Juventus y obtuvo la doble nacionalidad al tener ascendencia italiana, y participó con la selección transalpina en el torneo de 1934.

R165: En 1999, a petición popular, tras ganar la Premier League, la FA Cup y la Champions League.

R166: Ronaldo (Portugal), Copa (Francia), Beckenbauer (Alemania), Cruyff (Holanda).

R167: 23 campeonatos. No se contabiliza oficialmente el campeonato de Clausura de 1991 ya que entre 1985 y 1991 los campeones de Clausura y Apertura se enfrentaban en un último partido para determinar el ganador unificado de la temporada, y en 1991 el trofeo fue para el Newell's Old Boys.

R168: Florencia. El *calcio* surgió en el siglo XVI en la Florencia renacentista. De hecho, originalmente se denominó *calcio fiorentino*, y más tarde su nombre se simplificó con la palabra *calcio* (patada, en italiano).

R169: Falso. Figo salió del Real Madrid rumbo al Inter de Milán en la temporada 2005-06, en la que CR7 jugaba aún en el Manchester United. Ronaldo llegó a la casa blanca en la temporada 2009-10. Quien ha coincidido con ambos es Mourinho, que fue entrenador del Inter en el último año en activo de Figo y que entrenó a CR7 en el Madrid a partir de la 2010-11.

R170: **Johan Cruyff.**

R171: **Italia y Alemania.** El partido tuvo lugar el 11 de julio y acabó con el resultado de 3 goles a 1 a favor de la selección transalpina.

R172: *Dribbling game.* Algunas de sus primeras reglas fueron la prohibición de utilizar las manos en el juego y de propinar patadas en la tibia.

R173: **Falso.** Los australianos han jugado tres Mundiales (1974, 2006 y 2010) y los neozelandeses dos (1982 y 2010).

R174: **George Best.**

R175: **Andoni Zubizarreta** con 16 partidos en 4 Mundiales: 5 en 1986, 4 en 1990, 4 en 1994 y 3 en 1998. Casillas ha disputado 15 partidos hasta el Mundial 2010. En el año 2011 superó al portero vasco en partidos totales con la Selección.

R176: **César, con 235 goles.** En la temporada 2011-12 el argentino Lionel Messi superó a Kubala (194 dianas) en la segunda clasificación de goleadores y amenaza ya el récord de César.

R177: **Copa Jules Rimet.** Inicialmente se denominó Victoria pero en 1946 se cambió por el nombre del que fuera presidente de la FIFA e impulsor de la competición.

R178: **Fernando Correa.** El uruguayo fue el sexto máximo anotador de la competición aquella campaña, en la que defendía la elástica del Racing de Santander antes de ser fichado por el Atlético de Madrid.

R179: **Argentina.** Fue preparador físico de la selección francesa entre 1946 y 1948 y posteriormente seleccionador de España e Italia.

R180: **En la temporada 1977-78.**

R181: **1955-56.** Fue la temporada en la que se creó el torneo, y el Real Madrid ganó esa edición y las cuatro siguientes. Es el club con más copas conseguidas (9).

R182: **Ronaldo Luís Nazário de Lima.** El ex jugador del Barcelona y Real Madrid, entre otros equipos, marcó 15 goles en los tres Mundiales en los que estuvo presente: 1998, 2002 y 2006. Le siguen con 14 el ariete de la selección alemana de los años setenta Gerd Muller y su compatriota Miroslav Klose. Con 13 goles se sitúa el francés Just Fontaine, cifra que consiguió en una única participación, el Mundial de 1958. Fontaine fue Bota de Oro de aquella edición.

R183: Suiza. Se considera inventor del *catenaccio* al técnico austriaco Karl Rappan, que lo puso en práctica en equipos de Suiza y en la selección de este país en el Mundial de 1938. Los suizos eliminaron sorprendentemente a Alemania en el cruce de octavos de final. Posteriormente lo popularizaron en Italia entrenadores como Helenio Herrera y Nereo Rocco.

R184: Emilio Butragueño. El ex jugador del Real Madrid marcó 4 goles en el partido que enfrentó a España con Dinamarca en octavos de final el 18 de junio de 1986. El encuentro acabó 1 a 5.

R185: 1,50 metros.

R186: Al Imperio austro-húngaro.

R187: África. El primer campo descubierto que usó el césped artificial fue un terreno de juego en Argel, en 1972.

R188: Peñarol era la localidad cercana a Montevideo donde se hallaban las instalaciones de la Compañía de Ferrocarril Central Uruguay, que en 1891 había puesto en marcha un club deportivo, inicialmente enfocado al cricket y más tarde al fútbol llamado Central Uruguay Railway Cricket Club (CURCC). En 1913 la sección de fútbol se separó del resto de la entidad y al año siguiente cambió oficialmente de nombre por el de Club Atlético Peñarol.

Créditos fotográficos

6. © Cordon Press / Imago Sportfotodienst / Ulmer — 7. © Cordon Press / Imago Sportfotodienst / VI Images — © Archivos Larousse Editorial, S.L. — 8. Cortesía Real Sociedad de Fútbol, S.A.D. — © Cordon Press / EMPICS Sports Photo Agency — 9. © Cordon Press / Imago Sportfotodienst / Colorsport — 10. © Cordon Press / Imago Sportfotodienst / Colorsport — 11. © Cordon Press / Imago Sportfotodienst / Aflosport — 12. © Cordon Press / Imago Sportfotodienst / Colorsport — 13. © Cordon Press / Reuters — 14. Cortesía Real Betis Balompié — 15. © Cordon Press / Imago Sportfotodienst / Xinhua — © Archivos Larousse Editorial, S.L. — 16. © Cordon Press / Miguelez Sports — 17. © Cordon Press / Reuters — 18. © Archivos Larousse Editorial, S.L. — 19. © Cordon Press / Diario AS — 20. © Archivos Larousse Editorial, S.L. — © Cordon Press / Ullstein Bild — 21. © Cordon Press / V. Salgado — 22. © The Illustrated London News — © Cordon Press / Imago Sportfotodienst / Panoramic — 23. Cortesía Real Madrid — © Cordon Press / Reuters — 24. © QuickImage — © Cordon Press / Maxppp — 25. © Cordon Press / Imago Sportfotodienst / Colorsport — 26. © Cordon Press / Miguelez Sports — 27. © Archivos Larousse Editorial, S.L. — 28. © Cordon Press / Imago Sportfotodienst / Ulmer — 29. © Cordon Press / Topham Picturepoint — 30. © Archivos Larousse Editorial, S.L. — © Cordon Press / Action Images — 31. © Cordon Press / Miguelez Sports — 32. © Cordon Press / Imago Sportfotodienst / Colorsport — 34. © QuickImage — 35. © Cordon Press / Ullstein Bild — Cortesía Manchester United Ltd. — 36. © Cordon Press / Sipa Press / A. Reau — 37. © Archivos Larousse Editorial, S.L. — © Cordon Press / Imago Sportfotodienst — 38. © Cordon Press / Imago Sportfotodienst / Ulmer — 39. © Archivos Larousse Editorial, S.L. — © Cordon Press / Diario AS — 40. © Cordon Press / Topham Picturepoint — Cortesía RCD Espanyol de Barcelona S.A.D. — 41. © Cordon Press / Imago Sportfotodienst / ActionPictures — 42. © Cordon Press / Miguelez Sports — 43. © Cordon Press / Ullstein Bild — 44. © Archivos Larousse Editorial, S.L. — 45. © Cordon Press / Imago Sportfotodienst / MIS — 46. © QuickImage — 47. © Cordon Press / Imago Sportfotodienst / Aflosport — 48. © Cordon Press / Imago Sportfotodienst / S. Simon — 49. © The Illustrated London News — © Archivos Larousse Editorial, S.L. — 50. © Cordon Press / Imago Sportfotodienst — 51. © Cordon Press / Imago Sportfotodienst / Itar-Tass — 52. © EMBRATUR — © Cordon Press / Miguelez Sports — Imago Sportfotodienst — 53. © Cordon Press / Imago Sportfotodienst / VI Images — 54. © Cordon Press / Corbis / OffSide / M. Leech — 55. © Cordon Press / Imago Sportfotodienst / Fotoarena — 56. © Cordon Press / Action Images — 58. © Cordon Press / Imago Sportfotodienst / F. Hartung — 59. © Cordon Press / Imago Sportfotodienst / Xinhua — 60. © Archivos Larousse Editorial, S.L. — © Cordon Press / Imago Sportfotodienst / SportImage — 61. © Cordon Press / Reuters — 62. © Cordon Press / Reuters — 63. Cortesía A.S. Roma S.P.A. — Cortesía Liverpool Football Club — 64. © Cordon Press / Icon S / AFLO / Mexsport / J. Reyes — 65. © Cordon Press / Everett Collection / Paramount Pictures — 66. © Cordon Press / Reuters — 67. © Cordon Press / Miguelez Sports / Imago Sportfotodienst — 68. © QuickImage — 69. © Cordon Press / Action Images — 70. © Cordon Press / Imago Sportfotodienst / Camera 4 — © The Illustrated London News — 71. © Cordon Press / TopFoto — 72. © Cordon Press / Miguelez Sports — 73. Cortesía F.C. Barcelona — © Cordon Press / Imago Sportfotodienst / Werek — 74. © Cordon Press / Imago Sportfotodienst / Buzzi — 75. © Cordon Press / L'Equipe — 76. © Cordon Press / ItalyPhotoPress/IPP — 77. © Cordon Press / Reuters. 83. © Archives Larousse — 84. © Archives Larousse — 87. © QuickImage — 88. © Archives Larousse.